CW00695451

Gilbert **Delahaye** ◆ Marcel **Marlier**

martine

à la fête des fleurs

casterman

• Découvre les personnages de cette histoire •

Martine

Joyeuse et curieuse, Martine adore s'amuser avec ses amis et son petit chien Patapouf. Ensemble, ils découvrent le monde et vivent de véritables aventures. Une chose est sûre : avec Martine, on ne s'ennuie jamais !

Clara

Clara est une des meilleures amies de Martine. Elles vont à l'école ensemble et sont voisines : pratique pour s'inviter à jouer le week-end !

Louise

La cousine de Martine. Les deux filles adorent passer leurs vacances ensemble, jouer et se raconter des secrets !

Gabriel

Le voisin. Il vient souvent donner un coup de main à Martine et Jean. Son esprit inventif fourmille de bonnes idées !

Ce petit chien est un vrai clown !
Il fait parfois des bêtises…
mais il est si mignon que Martine
lui pardonne toujours !

Quelle agitation dans la ville, ce matin !

– Martine ! Martine ! Viens voir ce qui est écrit sur cette affiche !

La fillette accourt et lit à voix haute :

Dimanche 2 juillet, venez tous à la Fête des Fleurs !

Rendez-vous à 15 heures sur la place du marché.

Chacun peut participer !

– Super ! s'exclament les enfants rassemblés.

– La Fête des fleurs ? C'est quoi ? demande Louise.

– Un grand défilé avec des chars décorés, des voitures, des vélos… explique Martine avec enthousiasme. Tous ornés de fleurs !

– Si on participait ? propose Clara.

– Oui ! s'écrie Martine. Mais il faut trouver une idée originale pour notre char…

Les filles réfléchissent.

– Je sais ! s'écrie Martine. Je vais vous le dessiner. Ensuite, on pourra le reproduire en vrai !

Elle se met par terre et griffonne sur une feuille de papier.

– C'est un char japonais ! annonce Martine. En forme de théière et couvert de fleurs multicolores…

– Qu'il est joli ! s'exclament Louise et Clara.

C'est décidé, dès le lendemain on commence la construction.
Les parents aident en ajustant planches de bois et armatures métalliques. Martine et ses amis se chargent du papier, de la paille et de la colle.
À la fin de la matinée, l'immense théière se dresse parmi les autres chars. On aperçoit un escargot, un hélicoptère et même un cheval à bascule.
– Cette fête promet d'être grandiose ! déclare Martine, ravie.
Mais il reste encore beaucoup de travail.

Et il ne faut pas oublier le plus important : les fleurs !
Les enfants en cueillent des brassées dans les champs
qui entourent le village.
– Il y a des marguerites, des capucines, des coquelicots, des dahlias…
s'enthousiasme Martine. Voilà de beaux bouquets pour décorer
notre char !

Le soleil décline doucement à l'horizon et, en fin d'après-midi, Martine s'installe dans un hamac pour faire une sieste.
Il fait bon et l'air est rempli de parfums.
La fillette serre un bouquet dans son sommeil.
Elle rêve certainement au défilé de dimanche, à la famille et aux amis sous une pluie de pétales…

Samedi ! Plus qu'un jour avant la fête…

Aujourd'hui, les enfants achèvent le travail.

– Il faut des fleurs absolument partout, dit Clara.

– Même sur le couvercle ! ajoute Martine.

Après un long moment, la théière japonaise est enfin terminée !

Maintenant, Martine et ses copains vont aider le grand-père de Gabriel à nettoyer sa voiture de collection pour la fête.

– Qu'est-ce qu'elle est belle ! s'exclame Jean.

– Mais elle a l'air très vieille… dit Louise. Elle marche encore ?

– Oui ! répond Gabriel. Grâce à la manivelle. C'était comme ça qu'on démarrait les voitures à l'époque.

Le grand jour est arrivé !

Les rues sont décorées et tous les participants déguisés.

Martine porte un superbe kimono et une coiffure japonaise avec un serre-tête fleuri.

– Ne bouge pas trop, Patapouf, recommande-t-elle à son chien, installé dans un petit chariot. Et n'oublie pas de saluer les spectateurs !

Le long de la rue principale, la foule se masse derrière les barrières.

Tout le monde guette le cortège qui se prépare.

– Je peux m'approcher ? demande un petit garçon.

– Non, tu restes ici… répond sa maman en le tenant. Sois patient,

la parade va bientôt démarrer et tous les chars passeront devant nous.

Je me demande lequel sera le plus beau !

Déjà, les premières notes de musique retentissent et...
la fête commence !
Le premier char qui surgit est l'immense escargot couvert
de fleurs.
Il est suivi par des enfants à vélo et par un monsieur à haut-de-forme... monté sur un « Grand bi », un ancien vélo utilisé
il y a 150 ans !

Quelle surprise ! Patapouf n'est plus dans sa carriole... mais à l'avant de la voiture de collection ! Mieux encore, il est responsable du klaxon ! Pouet, pouet !
Puis viennent les majorettes qui avancent au rythme des tambours. Elles sont si belles, avec leur uniforme !

Ça alors ! Une grue survole la foule !
Elle transporte l'hélicoptère couvert
de marguerites et de dahlias.
Une petite fille jette sur la foule
des dizaines de fleurs multicolores.
« Bravo ! Bravo ! » hurle le public.

Et pour ceux qui n'ont pas été assez arrosés, il reste le canon à fleurs !

– Prêts pour l'assaut ? lance Gabriel, déguisé en soldat.

Un... Deux... Trois !

BOUM !

Des pétales de fleurs jaillissent sur les enfants qui éclatent de rire.

Tout le monde tend les bras et essaie d'en attraper.

– À moi, à moi !

– Il y en aura pour tout le monde, ne vous inquiétez pas ! rigole Gabriel.

BOUM !

Plus le cortège avance, plus les spectateurs sont nombreux.

Aucun doute : le dernier char sera le clou du spectacle…

– Qu'est-ce que ce sera, à ton avis ? demande une maman.

– Peut-être un carrosse de princesse ? souffle la fillette.

– Ou un immense dragon ? réplique sa voisine.

Tout le monde est impatient !

C'est alors que des tintements se font entendre…

Le char japonais fait son apparition !

Il est magnifique, avec toutes ses fleurs, ses lampions et ses drapeaux en forme de poisson… Et à sa suite défilent d'adorables petites filles déguisées en tasses.

Mais la plus belle, c'est Martine, avec son kimono et son ombrelle… Une vraie princesse impériale !

La parade se termine à la nuit tombée.

Pourtant, la Fête des fleurs n'est pas finie !

Des musiciens jouent des mélodies entraînantes, et la foule danse sous le ciel étoilé.

Même les enfants ont le droit de veiller pour profiter de cette belle soirée. Il faut dire que Martine et ses amis l'ont bien mérité : les chars étaient splendides !

Cette fois, c'est vraiment la fin. Tout le monde rentre se coucher.

Le papi de Gabriel raccompagne les enfants à la maison.

– Un dernier tour en carrosse, madame l'Impératrice du Japon ! lance-t-il en agitant son chapeau. Et tout le monde éclate de rire !

Retrouve **martine** dans d'autres aventures !

martine
garde son petit frère
casterman

martine
fête son anniversaire
casterman

martine
jardine
casterman

martine
fait du vélo
casterman

martine
petit rat de l'opéra
casterman

martine
à la fête des fleurs
casterman

martine
fait la cuisine
casterman

martine
apprend à nager
casterman

martine
est malade
casterman

martine
en vacances
casterman

martine
prend le train
casterman

martine
fait de la voile
casterman

martine
fête maman
casterman

martine
à l'école
casterman

martine
découvre la musique
casterman

martine
a perdu son chien
casterman

Gilbert Delahaye • Marcel Marlier
martine
dans la forêt
casterman

Gilbert Delahaye • Marcel Marlier
martine
et le cadeau d'anniversaire
casterman

Gilbert Delahaye • Marcel Marlier
martine
un mercredi pas comme les autres
casterman

Gilbert Delahaye • Marcel Marlier
martine
la nuit de Noël
casterman

Gilbert Delahaye • Marcel Marlier
martine
se déguise
casterman

Gilbert Delahaye • Marcel Marlier
martine
et les lapins du jardin
casterman

Gilbert Delahaye • Marcel Marlier
martine
baby-sitter
casterman

Gilbert Delahaye • Marcel Marlier
martine
au pays des contes
casterman

Gilbert Delahaye • Marcel Marlier
martine
et les marmitons
casterman

Gilbert Delahaye • Marcel Marlier
martine
prépare une surprise
casterman

Gilbert Delahaye • Marcel Marlier
martine
l'arche des animaux
casterman

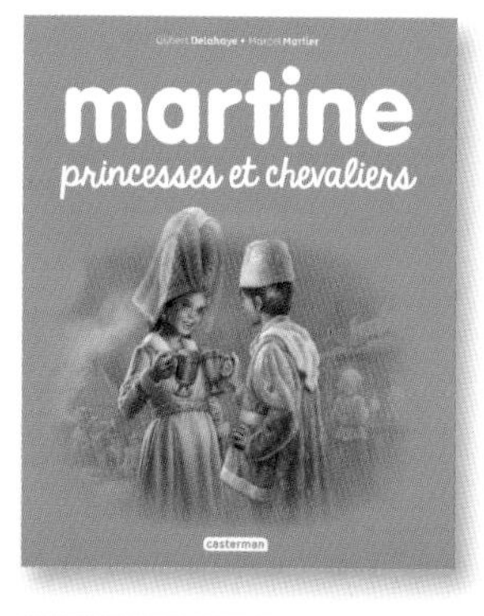
Gilbert Delahaye • Marcel Marlier
martine
princesses et chevaliers
casterman

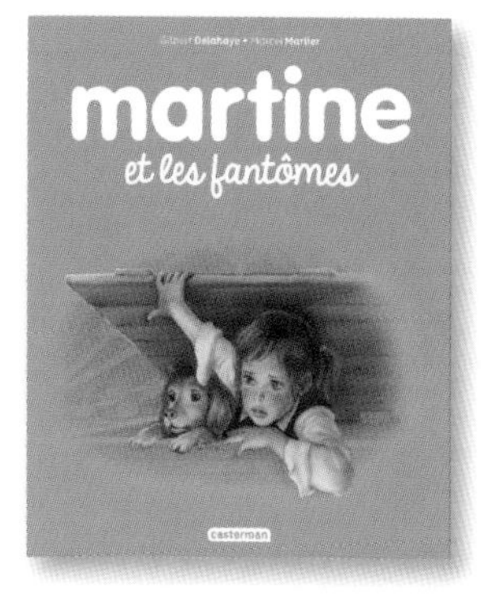
Gilbert Delahaye • Marcel Marlier
martine
et les fantômes
casterman

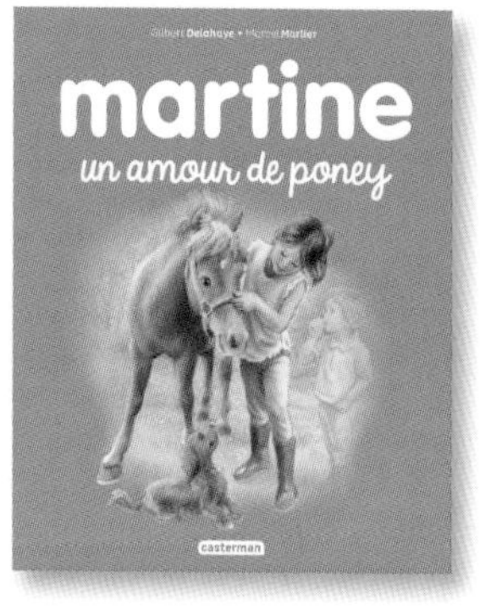
Gilbert Delahaye • Marcel Marlier
martine
un amour de poney
casterman

Gilbert Delahaye • Marcel Marlier
martine
la dispute
casterman

Gilbert Delahaye • Marcel Marlier
martine
drôle de chien !
casterman

Casterman
Cantersteen 47
1000 Bruxelles

www.casterman.com

ISBN : 978-2-203-12571-1
N° d'édition : L.10EJCN000601.N001

D'après les albums de Gilbert Delahaye et Marcel Marlier.
Achevé d'imprimer en décembre 2016, en Italie.
Dépôt légal : mars 2017 ; D.2017/0053/81
Déposé au ministère de la Justice, Paris (loi n°49.956
du 16 juillet 1949 sur les publications destinées à la jeunesse).